सविता सिंह

पचास कविताएँ

नयी सदी के लिए चयन

वाणी प्रकाशन

वाणी प्रकाशन

'लोगो' वाणी प्रकाशन : मक़बूल फ़िदा हुसेन

वाणी प्रकाशन, 4695, 21-ए, दरियागंज, नयी दिल्ली-110002

वाणी प्रकाशन, अशोक राजपथ (पटना कॉलेज के सामने), पटना (बिहार)

PACHAS KAVITAYEN
NAI SADI KE LIYE CHAYAN

by Savita Singh

Poetry

ISBN : 978-93-5000-894-2

प्रथम संस्करण 2012

मूल्य : 65/-

वाणी प्रकाशन

फोन : 0091#11#23273167, फोन व फैक्स 23275710

वेबसाइट : www.vaniprakashan.in

ई-मेल : vaniprakashan@gmail.com

आर टेक ऑफसेट द्वारा दिल्ली-110095 में मुद्रित

क्रम

शाम में एक कामना

किसी राह को कहूँ अपनी राह
किसी विस्मृत सुख को एक सुख
किसी की नींद में जा लेटूँ
जगूँ किसी मीठे स्वप्न की बाँह में
ऐसी है कामना इस शाम

ढल जाने पर इसके लेकिन
क्या बची रहेगी वह राह सुलगती-सी
याद में घुली-मिली सुख की आकांक्षा
नींद एक मोह-सी व्याप्त रोम-रोम में
स्वप्न में तैरती दो आँखें हंसों-सी

मैं तारों का एक घर

न जाने कितने तारे
मेरी आँखों में आ-आ कर ध्वस्त होते रहे हैं
उनकी तेज़ रोशनी
गहन ऊष्मा उनकी
आकर मेरी आँखों में बुझती रही हैं
और मैं इन तारों का
एक विशाल दीप्त घर बन गयी हूँ
जिसमें मनुष्यों की भाँति ये मरने आते हैं

आज भी हर रात
एक तारा उतरता है मुझमें
हर रात उतना ही प्रकाश मरता है
उतनी ही ऊष्मा चली जाती है कहीं

गति

हूँ ऐसी गति में
उद्विग्न इतनी कि
तोड़ती हर उस डोर को जिससे हूँ बँधी
जगी कई रातों से
थकी
शताब्दियों से कई
जगी वैसे भी हूँ नींद में ही चलती फिर भी
रात की मुँडेर पर बैठी बड़ी चिड़िया को पकड़ने की चेष्टा करती
गिरने से बचने के यत्न में लगी
पग-पग पर समेटती रात के विस्तार को
गति में हूँ बढ़ती
उद्विग्न इतनी कि समझती भी नहीं इसके ख़तरे

डर

साँय-साँय चल रही है हवा इस दोपहर
जाने किस ख़ालीपन की तरफ़ बढ़ रही है
क्या कुछ विस्थापित कर डालेगी
क्या कुछ करेगी पार
किसके वजूद पर जा बैठेगी
किसे बेचैन कर डालेगी आज

साँय-साँय चल रही है हवा
लिये उद्विग्नता दोपहर की
और चुप्पी किसी रोते मन की
अधलेटी अपने अन्दर के एकान्त में
डरती सोचती हूँ
कहीं भर न दे मुझे यह अपने वेग से

सफ़ेद तितली

काफी सुनसान इलाक़ा था वह
जिधर वह बढ़ गयी थी
सब कुछ अनजाना अपरिचित था
अच्छा भी था एक तरह से
वहाँ वह सब कुछ नहीं था
जिससे वह ऊब चुकी थी
न थे वहाँ दुख के कई-कई रूप
वे पेड़ भी नहीं जिनके नीचे खड़ी हो
एक दिन वह भरी दोपहर में रोयी थी

काफी सुनसान इलाक़ा था वह
जिधर वह बढ़ गयी थी
बस एक सफ़ेद तितली साथ चली आयी थी उधर
तेज़ी से उड़ती हुई

स्त्री सच है

चारों तरफ़ नींद है
प्यास है हर तरफ़
जागरण में भी
उधर भी जिधर स्वप्न जाग रहे हैं
जिधर समुद्र लहरा रहा है

दूर तक देख सकते हैं
समतल पथरीले मैदान हैं
प्राचीनतम-सा लगता विश्व का एक हिस्सा
और एक स्त्री है लाँघती हुई प्यास

एक तारा बस

देर तक भीतर
ढोल पर हल्की थाप-सा
बजता रहा था वह आत्म-प्रलाप
जिसे बार-बार अनसुना करने की कोशिश मैं करती रही

जाने कब तक एक पत्ते-सा डोलता रहा वह दुख
जिसके बारे में कुछ भी नहीं किया जा सकता था
दिन के उजाले नें बदल चुकी थी चाँदनी रात
सामने का हरसिंगार झरकर शान्त हो चुका था

एक तारा था बस जो डूबने का नाम नहीं ले रहा था
शताब्दियों से देखता आया था जो इस दुख की पुनरावृत्ति

हूँ ऐसे इस संसार में

लिखती हूँ जब रात पर कविताएँ
कर रही होती हूँ अपना ही अनुवाद
हवा तितली नदी पर लिख रही होती हूँ जब
कर रही होती हूँ तैयार अपनी ही प्रतिलिपियाँ
फैली रहती हूँ इस तरह अपने इस संसार में दिन रात
मूल में नहीं समझे जाने का दंश मगर
भाषा झेलती है
पीठ की तरह दुखती है जो अक्सर रात गये

अपनी यातना में

वह सो चुकी थी कई नींदें
कई दिन और रातें बीत चुकी थीं
कई ज़िन्दगियाँ बन और बिखर चुकी थीं इस बीच
लेकिन एक सपना था जो अब भी झिलमिला रहा था
जिसकी झालर को पकड़ वह उठी थी
और उन फूलों को ढूँढ़ने लगी थी
जिन्हें सीने से लगा वह सोने गयी थी

जागने पर यह संसार उसे अब भी
बहुत जाना-पहचाना ही लगा था
फूल भले अनुपस्थित थे
लेकिन उसके प्रेमी वहाँ खड़े थे बाँहें फैलाये

हर हाल में प्रेम बचा रहता है उसने सोचा था
फिर आह्लादित हो ख़ुद से कहा था
आसमान को छत और धरती को बिस्तर बना
समुद्र की तरह कोई गीत गाना चाहिए

तभी उसका एक प्रेमी उसे बालों से पकड़
खींचता हुआ ले गया नींद और सपनों से बाहर
समेटे हुए अपने सीने में चुराये उसके सारे फूल
जहाँ सब कुछ नया था अपनी यातना में

प्रेम के बारे में

सिल्विया प्लाथ आओ
मेरी आत्मा में बसो
निश्चिन्तता महसूस करो
यहाँ अकेलापन कोई यातना नहीं
जो ले जाए तुम्हें गैस स्टोव तक
नहीं प्रेम के बदले नहीं मिला प्रेम कोई महादुख
यहाँ जीवन की हल्की रोशनी में फूलों की तरह खिली हुई
मिलेंगी जीवन जीने की अमूल्य सलाहें अब
एक फूल जिनमें से तुम्हें भी जीवित करेगा
अपनी अद्भुत सुगन्ध से

आओ सिल्विया प्लाथ
मुझमें बसो
निश्चिन्तता महसूस करो
यहाँ दूर-दूर तक कोई पुरुष तुम्हें
इतना बेबस नहीं कर सकेगा अपनी क्रूरता से
कि तुम नष्ट हो जाओ
अपने प्रेम से नहीं मार सकेगा वह तुम्हें दोबारा

आओ और अपनी बाक़ी कविताएँ लिखो
बताओ वह कैसी उदासी थी जिसे तुम झेल नहीं पायीं
डूब गयीं जिसमें अन्ततः
और यह भी कि अन्त तक लगाते हुए आख़िरी ग़ोता
क्या सोचा था तुमने प्रेम के बारे में

पसन्द की जाने वाली स्त्री

प्रेम करती हुई स्त्री ही अब भी पसन्द की जाती है
छल में भी एक अजीब जादू है
जो झूठ में नहीं

कितना मिलता-जुलता है झूठ भी सच से आख़िर
मृत्यु ज्यों प्रेम से

अन्त में सच ही बचाता है हर स्त्री को
लेकिन तब तक वह तब्दील हो चुका होता है
झूठ में कुछ इस तरह
कि वह उसके किसी काम का नहीं रहता

छल रहता है ज्यों का त्यों तब भी
अपने काम करता
प्रेम और मृत्यु का रथ हाँकता

मुक्ति के फ़ायदे

कुछ लोग अब समझ रहे हैं
नारी मुक्ति के हैं कुछ फ़ायदे भी
कहते हैं देखिये किस तरह ढो रही हैं औरतें
पहले से आठगुना भार
पैदा कर रही हैं पाल रही हैं बच्चे अकेले ही
चला रही हैं देश और समाज
कमा रही हैं खा रही हैं अपना
मुक्त कर चुकी हैं पुरुषों को अपने से पहले ही

सोचकर लगता है कि कितना निरर्थक था
बाँध कर उन्हें रखना गायों की तरह
और ख़ुद मरते रहना दाना-पानी के लिए सबके
वैसे भी कब चाहिए थीं औरतें प्रेम के लिए किसी को
जिनके साथ करना पड़ता था साझा तन से ज्यादा धन का
अच्छा है मुक्त हो रही हैं मिल सकेंगी स्वच्छन्द सम्भोग के लिए अब
एक समय जैसे मुक्त हुआ था श्रम पूँजी के लिए

यह सच है पुरुषों के हमेशा काम आयी हैं औरतें
आज भी प्रेम के बहाने उन्हें ले जाया जा सकता है अँधेरों में

याद रखना नीता

याद रखना नीता
एक कामयाब आदमी समझदारी से चुनता है अपनी स्त्रियाँ
बड़ी आँखों सुन्दर बाँहों लम्बे बालों सुडौल स्तनों वाली प्रेमिकाएँ
चुपचाप घिस जाने वाली सदा घबराई धँसी आँखों वाली मेहनती
कम बोलने वाली पत्नियाँ

कामयाब आदमी यूँ ही नहीं बनता कामयाब
उसे आता है अपने पूर्वजों की तरह चुनना
भेद करना
और इस भेद को एक भेद
बनाये रखना

मैं कथा कहूँगी

स्त्रियो!
बार-बार मैं तुम्हारी कथा कहूँगी
उतरूँगी जीवन की अँधेरी खोह में
दूर तक बढ़ूँगी
पहुँचूँगी वहाँ जहाँ तक थोड़ी भी रोशनी बाक़ी होगी
देखूँगी तुम्हारे प्राचीन चेहरे
जो अब तक दस्तावेज़ों की तरह सुरक्षित होंगे वहाँ
उनसे ही जान लूँगी तुम्हारा हाल
और यह भी समझ लूँगी कि बहुत फ़र्क़ नहीं है
एक दूसरे के हालचाल में अब भी
अब भी दुख में वही स्थिर ललाट है
मोमबत्तियों-सी जलती हैं अब भी वैसी ही आँखें
जिन्होंने देखे न जाने कितने षड्यंत्र
झूठ और अनाचार तमाम सभ्यताओं में
ज़िम्मेदारियों और बेतहाशा श्रम से झुकी वैसी ही पीठ
और शर्म में गड़ी वही गरदन
अस्त-व्यस्त वैसे ही केश जिन्हें बाँधने का स्वांग
हर सदी में हमने किया

होठ पर मृत पड़े जीवन के वही पुराने गीत
जिन्हें एक समय हम सबने झूम-झूम कर गाया था
विश्व में जब बहुत कुछ हमारा था

स्त्रियो तुम जहाँ कहीं भी हो
जिस सदी और जिस देश में
तुम्हें अपने पूर्वजन्म-सा मैं कविता में पा लूँगी
क्योंकि बार-बार मैं ही थी जन्म लेती बन कर
कभी मीरा राबया एमिली सिमोन अख़्मातोवा कभी

पूर्वजन्म की इससे अच्छी व्याख्या और क्या हो सकती है
कि हम बार-बार अपने को पा लें खो जाने के बावजूद
एक सदी से दूसरी में
एक देश से दूसरे देश में
और अपने होने की इस लम्बी त्रासद कथा को कह कर
बार-बार किसी सुन्दर मोड़ तक पहुँचायें

मैं किसकी औरत हूँ

गैं किसकी औरत हूँ
कौन है मेरा परमेश्वर
किसके पाँव दबाती हूँ
किसका दिया खाती हूँ
किसकी मार सहती हूँ...
ऐसे ही थे सवाल उसके
बैठी थी जो मेरे सामनेवाली सीट पर रेलगाड़ी में
मेरे साथ सफ़र करती

उम्र होगी कोई सत्तर-पचहत्तर साल
आँखें धँस गयी थीं उसकी
मांस शरीर से झूल रहा था
चेहरे पर थे दुख के पठार
थीं अनेक फटकारों की खाइयाँ

सोचकर बहुत मैंने कहा उससे
'मैं किसी की औरत नहीं हूँ
मैं अपनी औरत हूँ

अपना खाती हूँ
जब जी चाहता है तब खाती हूँ
मैं किसी की मार नहीं सहती
और मेरा परमेश्वर कोई नहीं'

उसकी आँखों में भर आयी एक असहज ख़ामोशी
आह! कैसे कटेगा इस औरत का जीवन!
संशय में पड़ गयी वह

समझते हुए सभी कुछ
मैंने उसकी आँखों को अपने अकेलेपन के गर्व से भरना चाहा
फिर हँसकर कहा 'मेरा जीवन तुम्हारा ही जीवन है
मेरी यात्रा तुम्हारी ही यात्रा
लेकिन कुछ घटित हुआ जिसे तुम नहीं जानतीं—
हम सब जानते हैं अब
कि कोई किसी का नहीं होता
सब अपने होते हैं
अपने आप में लथपथ-अपने होने के हक़ से लक़दक़'

यात्रा लेकिन यहीं समाप्त नहीं हुई है
अभी पार करनी हैं कई और खाइयाँ फटकारों की
दुख के एक दो और समुद्र
पठार यातनाओं के अभी और दो चार
जब आख़िर आएगी वह औरत
जिसे देख तुम और भी विस्मित होओगी
भयभीत भी शायद
रोओगी उसके जीवन के लिए फिर हो सशंकित
'कैसे कटेगा इस औरत का जीवन' फिर से कहोगी तुम

लेकिन वह हँसेगी मेरी ही तरह
फिर कहेगी—
'उन्मुक्त हूँ देखो,
और यह आसमान
समुद्र यह और इसकी लहरें
हवा यह
और इसमें बसी प्रकृति की गन्ध सब मेरी हैं
और मैं हूँ अपने पूर्वजों के शाप और अभिलाषाओं से दूर
पूर्णतया अपनी'

विमला की यात्रा

उसे जाना है आज शाम चार बजे रेलगाड़ी से
जाना है पति के घर से इस बार पिता के घर
एक घर से दूसरे घर जाते हैं वही
नहीं होता जिनका अपना कोई घर

बारह साल की उम्र में
विमला ब्याह दी गयी
जब वह गयी पति के घर पहली बार
उस घर को उसने बनाया अपना
लीप-पोत कर चमकाया उसे
कूट-पीस कर हमेशा इकट्ठा किया और रखा
साल-भर का अनाज
धोये सबके पाँव
सिले सबके उधड़े-फटे कपड़े
कहते हैं पति का घर होता है पत्नी का घर

इस बार लेकिन
विमला को जाना है दुख की ऐसी यात्रा पर

जिसके पार उतर
जीवन स्वयं अपने पार उतरता है
दुख से मिल दुख
किसी उजाड़ में जा भटकता है
पति की मृत्यु के बाद औरत का जैसे संसार बदलता है

सुबह से ही ठीक कर रही है विमला
अपने कपड़े
सँभाल रही है क़सीदाकारी के लकड़ी वाले फ्रेम
रेशम के आधे-अधूरे
उलझे-सुलझे धागे
वे कपड़े जिन पर काढ़ रखे हैं उसने वे सारे फूल
जिन्हें प्रकृति भी नहीं खिलाती
वे फूल जो अमर होते हैं
और सिर्फ़ स्त्री के हृदय में खिलते हैं
या फिर विमला के लिए
चुपचाप उसके गुमसुम संसार में

पति की मृत्यु के बाद
आज शाम चार बजे
विमला जा रही है अपने पिता के संग
कुछ दिनों के लिए बहलाने मन
वह जा रही है रेलगाड़ी से एक ऐसी यात्रा पर
जिसमें कहीं नहीं आता उसका अपना घर
मन ही मन इसलिए वह मनाती है
हे ईश्वर हों जीवन में मेरे ऐसी यात्राएँ अब कम
हो मेरा एक ही जीवन
एक अपना घर
जैसे है मेरी एक आत्मा

नमन करूँ छोटी बेटियों को

नमन करूँ इस देश को
जहाँ मार दी जाती हैं हर रोज़
ढेर सारी औरतें
जहाँ एक औरत का जीवित रहना
एक चमत्कार की तरह है

नमन करूँ उस माँ को
अपनी बेटियों को जनती हुई जो
रोती है 'अब क्या होगा इनका ईश्वर
इस संसार में'

नमन करूँ उस पिता को
जो देता है जीवन बेटियों को
अपनी हड्डियों-रक्त-मज्जा से
बनाता है उनका शरीर
फिर काग़ज़ की नावों की तरह
बहा आता है उन्हें जीवन के अथाह जल में

नमन करूँ उन छोटी बेटियों को
जो जी लेती हैं जैसे-तैसे मिला यह जीवन
हो लेती हैं पार काग़ज़ की नौकाएँ होते हुए भी
डूबती हैं कई
कई गल भी जाती हैं बीच में ही
कुछ लगती हैं पार
ख़तरनाक इन गहरे जलाशयों के

प्रेम करती बेटियाँ

आज भी बेटियाँ कितना प्रेम करती हैं पिताओं से
वही जो बीच जीवन के उन्हें बेघर करते हैं
धकेलते हैं जो उन्हें निर्धनता के अगम अन्धकार में

कितनी अजीब बात है
जिनके सामने झुकी रहती है सबसे ज़्यादा गर्दन
वही उतार लेते हैं सिर

दोपहर

दोपहर भरती नहीं कभी
उड़ेल दें चाहे जितनी उदासी नींद और ऊब उसमें
ख़ाली ही रहती है
अपने उसठपन में बदरंग
मिलती-जुलती कितनी उस औरत से
जो है ख़ुद एक दोपहर-सी

भीतर से भाँय-भाँय
बाहर से व्यस्त घर के काज निपटाती
सुनती डाँट फटकार जूते चप्पल खाती
बच्चों की काँव-किच में कौआई उबियाई
ख़ाली होते ही मगर फिर
बदरंग बेहिस एक दोपहर ही

मुक्ति

समय की ख़ाली आँखों में
तैरती शताब्दियाँ
और वह उनमें तैरती मटमैली छायाओं की तरह
रोज़ मुझसे पूछती
कैसे मुक्त होऊँ

जब मांट्रियाल मेरा शहर था

गुज़र गये हैं रोज़मंड स्ट्रीट से
जैसे गुज़र जाता है एक पूरा दिन
रोता पछताता अपनी निरर्थकता पर
आती नहीं रात भी वहाँ सहजता से
जंगल में जैसे खो गये हैं पेड़
वैसे ही देखते देखते
खो गयी हैं गुज़रे दिनों की स्मृतियाँ
फूल भी अब फूल नहीं शायद
बर्फ़ भी बर्फ़ नहीं
यह शहर भी कैसा अजायबघर है
खोये लोगों और बदली चीज़ों का

आसान नहीं था गुज़रना
एलमर स्ट्रीट से भी
तृप्ति की पतली नदी से पार हो लेना
प्यास लिये
आसान नहीं था कहना
कि यह शहर डूब रहा है

और फिर पहुँच जाना किसी के घर एक ठंडी सुबह
माँगने नींद

आसान था सिर्फ़ बर्फ़ की अनवरत बारिश देखना
प्रेम और मृत्यु पर सोचते हुए

रूथ का सपना

रूथ ने देखा एक सपना
उसने देखे थे कई ऐसे सपने
तब उसके साथ थे उसके दूसरे प्रेमी
इस बार वह बिस्तर में अकेली थी
और शहर भी दूसरा था
इस बार आधी रात से ही बर्फ़ गिरने लगी थी
और उसके घर के बाहर
सुबह-सुबह प्रेमियों का एक जोड़ा
झगड़कर अलग हुआ था

रूथ का सपना मामूली सपना नहीं था
उसने देखा था एक घने पेड़ के नीचे
बैठे एक दार्शनिक संत को
जो उसे समझा रहा था अस्तित्व के मानी
उसने उसे बताया भाषा ही समस्त संसार है
और उसमें ही एकान्त और प्रेम दोनों सम्भव है

रूथ भ्रमित थी
क्योंकि वह तो भाषा में ही थी सदा से
लेकिन उसे प्रेम के बदले प्रेम कभी नहीं मिला
और उसका एकान्त भरा पड़ा था
पिता की यातना और माँ की भीरुता से
यदा-कदा उसमें टहलते हुए आये थे कुछ प्रेमी
जो छोड़ गये थे पीछे सिर्फ़ अपने बिस्तर

रूथ देखना चाहती है कई बार
बस यही सपना
ताकि वह समझे
भाषा में झिलमिलाते अकेलेपन की गरिमा को
कैसे पाया जाए
कि इस बर्फ़ के शहर में कैसे जिया जाए

सारा का सुन्दर बदन

सारा पहने हुए थी झीना-सा एक ब्लाउज़
अन्दर था रेशम का एक स्लिप
होंठ थे सूजे गुलाबी
आँखों में नींद थी अब भी बाक़ी

रात को लिये साथ
मिली थी सारा मुझे पहली बार
उसने उतार रखे थे अपने गरम कोट दस्ताने गुलूबंद
जैसे वह बदलना चाहती हो इन सबको
लेकिन जानती थी सारा
लादना है इनको निकलते ही
इस गरम कमरे से बाहर
जैसे लदी है यह ज़िन्दगी उसके सुन्दर बदन पर

मिली जब दोबारा मुझे सारा
सटकर बैठ गयी मेरे पास
कहने लगी चला गया उसका प्रेम
किसी दूसरे शहर में

अब तो फिर से पाना होगा कोई स्पर्श
ढूँढ़नी होगी कोई और ऊष्मा
क्या होगा अब इस ख़ाली-सी आत्मा का
इसे तो भर नहीं सकती पूरे शहर की बर्फ़ भी
इसे सिर्फ़ प्रेम भर सकता है
मिलता है जो बमुश्किल और मुश्किलों भरा

मिली सारा जब मुझे तीसरी बार
साथ में था नया प्रेम उसका
उसे चूमता
और उसका शरीर अपनी सुन्दरता पसारे
खिल रहा था धूप में बर्फ़ पर एक फूल-सा

मैंने मन ही मन कहा
ख़ुश रहो सारा लिये अपना यह सुन्दर बदन
आत्मा की चिन्ता मत करो
वह तो सदा ख़ाली ही रहती है

रात नींद सपने और स्त्री

नींद में ही छिपा है
स्त्री होने का स्पर्श
जिसे महसूस करती है रात
और जो छायी रहती है इस पृथ्वी पर
वह इसी स्पर्श की छाया है
जिसके नीचे नींबू के फूल खिलते हैं
चम्पा की कलियाँ जन्म लेती हैं

नींद में है कहीं सौन्दर्य
जिससे जुड़ी है स्त्री
पनपाती मृत्यु
ग्रसती हिंसक पुरुषार्थ को
गिराती साहसी और बलवान को
राज्य करती फिर एकाग्र भाव से सब पर

रात में नींद है स्त्री
दिन में सौन्दर्य
नींद में जागती है रात
इस रात में देखती है स्त्री
आदिम अनुभूतियों पर थिरकते
अपने होने के कामुक स्वप्न

मनोकामनाओं जैसी स्त्रियाँ

ख़याल है इस बात का
कि अब और आगे बढ़ी तो खाई है
हटी पीछे तो है आग
खड़ी रही तो मूर्च्छा है गिराने के लिए
ख़याल है कि जिस जगह टिके हैं पाँव
वह भी खिसकने वाली है
उसमें भी एक अजीब ताप है
जो जलाता है आत्मा को

जगह बदलने की बात हो तो
जगह से जगह बदल लूँ
लेकिन यहाँ तो आसमान में ताकते बीते हैं बरस
देखते हुए अन्धकार और प्रकाश के खेल
मेलजोल उनके
और अब एक आदत-सी पड़ गयी है
सितारों की रची-रचायी दुनिया को देखने की
चाहने की वह सीढ़ी जिससे पहुँचूँ उन तक

बसने उन्हीं के बीच
मैं पहचानती हूँ आख़िर उनका वह झुरमुट
जिसमें मैंने भी चुना है अपना एक कोना
जहाँ जाकर ठहरती हैं पृथ्वी से लौटी उन्मुक्त हवाएँ
ऋतुएँ जहाँ जाकर सोचती हैं अपना होना

ख़याल है कि पहुँचूँ वहाँ
जहाँ पहले से ही एकत्र हैं
ढेर सारी मनोकामनाओं जैसी
ख़ुश और सुन्दर स्त्रियाँ

मुझे वह स्त्री पसन्द है

मुझे वह स्त्री पसन्द नहीं
जिसकी जीभ लटपटाती है पुरुषों से बात करने में
जिसका कलेजा काँपता है उनकी मार के डर से
जो झुककर उठाती है उनके जूते
पहनाती है उन्हें समर्थ समझकर
जो सोती है उनके साथ किसी फ़ायदे के लिए

मुझे वह स्त्री पसन्द है जो कहती है अपनी बात साफ़-साफ़
बेझिझक जितना कहना है बस उतना
निर्भीक जो करती है अपने काम
नहीं डरती सोचती हुई आत्मनिर्भरता पर अपने
हटाती नहीं जो वे आख़िरी पर्दे
जिन्हें आत्मा बचाये रखना चाहती है देह के लिए

मुझे वह स्त्री पसन्द है
समझती हुई सारे घात-प्रतिघात जो
ख़तरे सारे जीवन के
ख़ुद से प्रेम करती है
और संसार के हर प्राणी से सहानुभूति रखती है

सुन्दर उदिता

गहरी काली रात सोयी है उदिता जैसी
खोले अपने कपड़े अपने बाल बिस्तर में अकेली
मन में है न उसके कोई उलझन
कोई विषाद या फिर चाह
सो चुकी है रात पूरी एक नींद
खोल चुकी है आँख
बाहर सुन्दर लाल गोला सूरज का निकल चुका है
बाँहों को हवा में ऊपर उठा लेती हुई सुखद एक अँगड़ाई
बदन को करती हुई सीधा
अपने कपड़े पहन रही है उदिता

सामने नीला आकाश बना है देखो
कितना बड़ा दर्पण देखने के लिए उसके
अपना यह सौन्दर्य

कृतज्ञ हूँ मेरी कविता

कृतज्ञ हूँ मेरी कविता
कि जी सकती हूँ अपना सौन्दर्य तुममें
कृतज्ञ हूँ कि तुम मुझे जानती हो जैसी मैं हूँ
अपनी देह और आत्मा में एक जैसी

इतनी नेकदिल हो तुम कि ले आती हो
दूसरों का प्रेम ही मुझ तक
छिपा लेती हो उनकी सारी वितृष्णा
डाल देती हो जाने कहाँ दूसरों की डाह और घृणा
मेरे सामने रहता है सदा तुम्हारा चमकता माथा ही
बार-बार इसलिए चाहती हूँ तुम्हें ही
अपने एकान्त के उल्लास में
कोई चाहे जैसे देह में घुमड़ती अपनी ही वासना

कृतज्ञ हूँ और जाने किस-किस की
शब्दों की
अर्थों और अनुभवों की इस संसार में
लाती हो लेकिन तुम ही अकेली बुहार कर

भाषा में खुद को तिलिस्म-सा
स्पंदित करती यथार्थ को नये सिरे से

मैं जानती होती हूँ तब भी
हम जादू सरीखी ही हैं इस दुनिया में
और यह भी कि ग़ायब भी हो जाएँगी साथ ही एक दिन
सबकी आँखों के सामने से
शायद तब कोई समझ पाये
जादू जैसा ही था सब कुछ
यथार्थ सौन्दर्य और कविता
जिसे सम्भव करती थी एक स्त्री
और खुद भी सम्भव होती थी

दर्पण सी हँसी

एक हँसी दर्पण सी अपने होठों पर रख ली थी उसने
जिसमें देवताओं ने देखे अपने मुख
जिसमें कितने ही तारे उतरे देखने अपने अँधेरे
एक फूल जिसमें अपना दर्द उड़ेल गया
एक औरत छोड़ गयी जिसमें अपनी नग्नता

उस हँसी पर बाद में देर तक चाँदनी बरसी
हवा घंटों उसे पोंछती रही
बारिश ने उसे धोने की अनेक कोशिशें कीं
लेकिन वह सब कुछ जो उसमें संग्रहीत हुआ
ज्यों का त्यों संचित रहा

देवता अपनी कुरूपता पर फिर कभी
दुखी नहीं हुए
तारे नहीं हुए विचलित अपने सत्य से बाद में कभी
फूल मुर्झाया नहीं अपनी पीड़ा से उसके बाद
एक औरत लज्जित नहीं हुई अपनी देह से फिर

चित्र में लड़कियाँ

मैंने उस चित्र को उसी तरह समझा
जैसे समझना चाहती थी उसमें बैठी
नंगी पीठ वाली लड़की
कि जहाँ कहीं भी टाँगी जाएगी यह तस्वीर
वहीं बना लेगी वह एक खिड़की
जब बाक़ी लोग देख रहे होंगे उसकी पीठ
वह देख रही होगी बाहर कोई दृश्य

मैंने उस चित्र को जब दोबारा देखा
उसमें मुझे कई और लड़कियाँ दिखीं
ढँके बाँहों से कभी मुख कभी स्तन
ऐंठे उनके बदन पर थीं लेटी सर्प-सी उनकी नसें
दिखीं वे खुद इतनी बेचैन मानो
अब उठ खड़ी होंगी और निकल जाएँगी
अपनी-अपनी खिड़कियों से बाहर
मिल जाएँगी अपने-अपने दृश्यों में

बाद में और उस चित्र में सिर्फ़ खिड़कियाँ ही थीं

लड़कियाँ जा चुकी थीं
नंगी पीठ वाली लड़की भी कहीं नहीं थी
खिड़कियों से लगे लहराते पर्दे थे
नंगापन ढँकने को आतुर
जिसे झाड़ चुकी थी अब देह

जहाँ सोच रही है धूप

ख़ौफ़नाक हैं आवाज़ें
जो फैल रही हैं वातावरण में
आने वाले कठिन दिनों की शुरुआत हैं वे शायद
जब लगभग सभी पक्षी बाहर हैं खुले में
और मधुमक्खियाँ व्यस्त छत्ता बुनती पुराने घर के कमरे में
दोपहर की कड़ी धूप में शुरुआत होती है अनायास
विचारों में संघर्ष की

यह दोपहर है इक्कीसवीं सदी की
किसी शान्त तालाब के किनारे
जहाँ बाईसवीं सदी पर सोच रही है धूप

नया अँधेरा

कोई नया अँधेरा है यहाँ इस बार
विचलित करने वाली सघनता है इसमें
सधी हुई इस तरह कि ढँक दिया है इसने
अँधेरे में भी दिख जाने वाली उन ढेर सारी चीज़ों को
जिन्हें जानती थीं हमारी इन्द्रियाँ
बदल दिया है इसने उन तमाम परिचित आवाज़ों को
जिनमें संगीत के अलावा थीं चुम्बनों और मनुहारों की
अस्फुट ध्वनियाँ

इस अँधेरे को पहचानने आया था एक बच्चा
जिसकी नींद में ख़लल पड़ा था
एक स्त्री आयी थी पीले चेहरे वाली लिये हाथ में आईना
एक आदमी उतरा था अपनी साइकिल से इसे देखने
सोचता हुआ कहीं भटक तो नहीं गया वह रास्ता

क़त्ल की रात कल ही गुज़री है

है सुबह की पहली ताज़ी हवा की सुगन्ध
हृदय में अब भी बची
मुस्कान अपने ही उस प्रेम के अहसास में
जिसे भुलाना ज़रूरी हो गया है

दुख बहुत है इस समय में सबके लिए
उम्मीद फिर भी करनी है सुख की
ख़ून के धब्बे दिखते हैं शहर की इमारतों पर
क़त्ल की रात कल ही गुज़री है

देश के मानचित्र पर

जिस्म पर इतने ज़ख़्म
मन पर उससे भी ज़्यादा
देश के मानचित्र पर और भी ज़्यादा
एक तरफ ढेर जली लाशों का
एक तरफ टँगा हुआ
पेट चीरकर मारा गया अजन्मा बच्चा

एक तरफ पथरा गयी आँखें कंचों-सी
देखे थे जिन्होंने बलात्कार बहनों बेटियों माशूक़ाओं के
उनके नुँचे स्तन घायल गर्दन कटी-फटी बाँहें
थके ध्वस्त हुए अनगिनत शरीर कराहते लुढ़के
और इस हक़ीक़त के भीतर बचीं वे तमाम औरतें नौजवान बच्चे बूढ़े
यातना शिविरों में खलबल मारे भय के

मुश्ताक़ मियाँ की दौड़

दौड़ते रहे मुश्ताक़ मियाँ बेचारे
ढाबा चलाते थे
लाखों लोगों को अब तक खिला चुके थे
गोश्त रोटी तरकारी दाल सलाद
कौन नहीं आता था बैठता था उनकी बेंच पर
पीता था पानी मिटाता था थकान और भूख

उन्हें क्या पता था आज़ बदल चुके हैं
सारे पते ठिकाने दोस्तों के
सबके दिल पत्थर हो चुके हैं

सब छोड़ भागना पड़ेगा कब सोचा था उन्होंने
और भागने पर नहीं मिलेगा कोई ठिकाना
कि लें साँस ठहर कर
भागने की अब वैसी उम्र भी नहीं थी साठ के बाद
ऊपर से दिल की बीमारी अलग से लगी हुई थी
सिवा गिर जाने के अब कोई
रास्ता न बचा था

सो गिर पड़े मुश्ताक़ मियाँ
फिर सोचा जिन्हें इतनी प्यास है उनके ख़ून की
वे आवें बीच सड़क पर कर लें दो हिस्से
उनके जिस्म के
लेकिन दंगाइयों की तो कुछ और ही मंशा थी
अब जिस्म को लहूलुहान करना काटना बीच से
नाकाफ़ी था
अब तो उसे जलाकर खाक़ भी कर देना था
अब तक बहुत कुछ जो इसलिए ज़िन्दा था
कि वह इन्सानियत का हिस्सा था
उसे राख ही होना था

मुश्ताक़ मियाँ ख़ाक हुए
इन्सानियत भी राख हुई
और वह तलवार जिससे वे चीरे गये
अब तक सड़क पर नाच रही है
आग को बुला रही है

जो कोई भी नेक इन्सान कहेगा

उसने कहा बख़्श दो मुझे
तुम तो जानते हो
मैं वही हूँ नसरीन तुम्हारी मुँह बोली बहन
कई बार जो तुम्हारे काम आयी
जब तुम बेहद बीमार थे याद करो
जब घर में और कोई न था तुम्हारे
भागकर मैं ही डॉक्टर के पास गयी थी
पहली बार जब तुम नौकरी के लिए निकले थे
मैंने तुम्हारे लिए दुआ माँगी थी
इधर कई बार तुमने ख़ुद ही मुझसे पूछा था
'कब होने वाला है तुम्हारा बच्चा'

मुझे बख़्श दो
आज भी पहले ही की तरह तुम्हें अपना भाई मानती हूँ
रख दो त्रिशूल डंडे तलवार भाले
अपनी आँखों से नफ़रत पोंछ दो
वह तुम्हारी रूह को गन्दा किये जा रही है

मेरे अलावा कोई और भी है मेरे भीतर
जिसे अभी यह दुनिया देखनी है
वह भी तुमसे यही कह रहा है
जो और कोई भी नेक इन्सान कहेगा
थूक दो नफ़रत ग़ुस्सा
बाहर निकल आओ इस नयी क्रूरता से

अन्त

कर्नाटक के एक अँधेरे गाँव में
जीवन का खेल समाप्त करने की तैयारी
कर रहा है एक किसान परिवार

जमीन पर चटाई डाली जा रही है
कटोरे में ज़हर घोला जा रहा है

बच्चों को एक तरफ़ बैठा कर
निहारती है उन्हें एक बार उनकी माँ
देखती है अपना संसार अन्तिम बार
बाँधती है नये सिरे से साड़ी ठीक करती है पल्लू
सामने ही बैठा है शान्त हो चुके तूफ़ान की तरह किसान

सब देखते हैं एक दूसरे को सूनी आँखों से
फिर एक रुलाई फूटती है किसान के गले से
दफ़न होती है जो तुरन्त वहीं
एक ख़ालीपन देखता है उनकी तरफ़
वे भी देखते हैं उसको
किसी में किसी के लिए ख़ौफ़ नहीं

एक शान्ति छा जाती है फिर हर तरफ़
सिर्फ़ देह तड़पती है कुछ देर तक

जहाँ मेरा देश था

कुछ दिनों पहले जहाँ एक राह थी
अब वहाँ एक दीवार है
थीं जहाँ हमारी इच्छाएँ वहाँ लालच है सिर्फ़
कामना थी जहाँ लहराती वासना है
जहाँ ख़ुशी थी दुख की गझिन छाया है
जहाँ सारा साहस था वहाँ गज़ब की लाचारी है
जहाँ मेरा देश था अब वहाँ एक बाज़ार है

वहाँ उस पेड़ पर बैठा पखेरू जैसा दिखता है जो
वह असल में कुछ और है
रंगीन आँखों वाली मछली जल में तैरती
दरअसल युद्ध में काम आने वाला एक मारक यंत्र है
पड़ोस में रहने वाले सामान्य से दिखते लोग
ख़तरनाक गुप्तचर हैं हमारा नाम-पता बटोरते
दफ़्तर में कोने में बैठने वाला क्लर्क
करता है आजकल अपनी हैसियत से बड़ा काम
वह दर्ज कर रहा है मारे जाने वालों के नाम
मेरा प्रतिनिधित्व करती दिखती सरकार मेरी नहीं
मेरा देश हथिया चुका है कोई और देश

हद है जो कुछ जैसा दिखता है वह वैसा नहीं अब
जहाँ जो कुछ था वहाँ नहीं अब

सहमति

खुशी-खुशी चल रहा है सारा अत्याचार
अपने सिर उतार कर पेश कर रहे हैं लोग खुशी-खुशी

अब तो अपना ही जल्लाद है
जैसे है अपना नाई
वकील और डाक्टर अपना एक
दर्ज़ी भी एक अपना
वैसे ही ख़रीदार है अब सबका अपना-अपना
ख़रीदता है जो सब कुछ सारी देह सारा दिमाग़
समूचा अन्तःकरण
सारी सहमति

बेचते हुए कितना हल्कापन महसूस होता है
ख़रीदे जाते हुए कितना सन्तोष
यह तो बाज़ार ही जानता है अब
या बाज़ार में बिकती चीज़ें

सुन्दर बातें

जब हम मिले थे
वह समय भी अजीब था
शहर में दंगा था
कोई कहीं आ-जा नहीं सकता था
एक दूसरे को वर्षों से जानने वाले लोग
एक दूसरे को अब नहीं पहचान रहे थे
हम एक दूसरे को पहले नहीं जानते थे
लेकिन इस पल हम एक-दूसरे ही को जान रहे थे
तभी तो उसने मेरे बालों को पीछे समेटकर
गुलाबी रिबन से बाँधा था
और कहा था—
दंगा यूँ ही चलता नहीं रह सकता
किसी न किसी को यह बात ज़रूर सूझेगी एक दिन
कितनी सुन्दर चीज़ें पाने को पड़ी हैं इस दुनिया में
कितनी सुन्दर बातें कहने को अब भी बाक़ी हैं

कविता का जीवन

मुझसे भी जटिल जीवन जिएँगी मेरी कविताएँ
सोयी रहेंगी कोई सौ साल
कोई उससे भी ज़्यादा
जागेंगी खोलेंगी आँखें जब
कई-कई वसन्त आ और जा चुके होंगे
जाने कितनी ही बार खिल चुके होंगे रातरानी और गुलाब
कितनी ही बार उपकृत हो चुकी होगी पृथ्वी
उनकी अलौकिक सुगन्ध से
कितने सम्बन्ध बन और बिगड़ चुके होंगे
आ-जा चुके होंगे कितने ही राजा-रानी
ध्वस्त हो चुके होंगे उनके राज-पाट

इतने वर्षों बाद भी मेरी कविताएँ अचम्भित नहीं होंगी
तब भी उन्हें यह संसार अनुपम ही लगेगा अपनी क्रूरता में
तब भी वे ढूँढ़ेगी प्रेम और सहिष्णुता ही इस संसार में

क्यों होती हो उदास सुमन

क्यों होती हो उदास सुमन
जैसे अब और कुछ नहीं होगा
जैसा आज है कल वैसा नहीं होगा
क्यों डूबती हैं तुम्हारी आँखें कोई तारा रह-रहकर जैसे

देखो हर रात चाँद भी कहाँ निकलता है
जबकि आसमान का है वह सबसे प्यारा
आओ उठो हाथ मुँह धोओ
देखो बाहर कैसी धूप खिली है
हवा में किस तरह डोल रही हैं चम्पा की बेलें

क्यों होती हो उदास कि जो गया वह नहीं लौटेगा
जो गया तो कोई और लौटेगा
ख़ुशी के लौटने के भी हैं कई नये रास्ते
जैसे दुख की होती हैं अपनी अनगिनत सुरंगें

सुख

ख़ूब अच्छी हवा है अभी
धूप भी है मीठी
जिसमें गूँजता है दिन
शान्त दिखते हैं पहाड़
हृदय में बहती हैं नदियाँ
और कोई चला जाता है पार इस सुख के
जीवन के सुन्दरतम भ्रम को चीर कर

बची है फिर भी
अभी काफ़ी धूप
है ढेर सारी हवा ठहरी
नींद में उतरने के लिए खड़े हैं
अनगिनत सपने
शब्दों का पूरा एक संसार
बदल रहा है एक नये थरथराते सुख में
जिसे समझती है हवा
लिपटती मुझसे भरती मुझे
हिलाती हुई धूप को मेरे लिए थोड़ा

इस तरह दुनिया सुन्दर हुई थी

शाम ढल चुकी थी
रात पसार रही थी अपना आँचल
आसमान से नीला प्रकाश झर रहा था
सामने का एक पेड़ उस में नहा रहा था
तभी उसकी एक डाल हौले-से हिली थी
सम्भव था उसे हवा ने हिलाया हो
या किसी चिड़िया ने खुजलाई हो वहाँ बैठकर अपनी गर्दन
या फिर बदली हो जगह
गयी हो एक डाल से कूदकर दूसरी डाल पर

सम्भव था इससे दुनिया सुन्दर हुई हो
उदास किन्हीं आँखों में जीवन की चमक लौटी हो

इस जंगल में

एक चुप में खिले हैं
इतने सारे जंगली
पीले बैंगनी फूल
पेड़ों के आड़े-तिरछे तनों से
सटी फैली है वैसी ही वक्र
घूमी हुई इतनी सारी टहनियाँ
रोयें-रोयें से जिनके चिपके हैं नामालूम
कितने फल कितने पत्ते
बैठी उन पर चिड़ियाँ इसी नीरवता में
साथ-साथ डोल रही हैं
हवा गुम है गम्भीर भी
समझती हर जीव का अकेलापन इस जंगल में

कितना अजीब सन्नाटा है
कैसी ख़ला है यहाँ
बीच-बीच में बस पुकारता है कोई पंडुक
अपनी मादा को

रात का दरवाज़ा

कितनी अपनी है अब भी रात
सुनती है किस धीरज से रुदन-विलाप
रहस्य की तरह बचा उल्लास
किस तरह छिपाये रखती है
कौतूहल उस स्वप्न के आगमन का
जिसे पाने के बाद वह सदा के लिए बदल जाएगी

अब भी कितनी अपनी
बचाये हुए उस नीले दरवाज़े को
जिससे अन्ततः निकला जा सकता है यातनाओं के पार

चाँद तीर और अनश्वर स्त्री

अपने ही सपनों का पीछा करती हुई
कितनी ही रातों के रहस्यों का पता चला
जिनमें मैं अकेली और बेचैन
खुद से लड़ती करवटें बदलती रही
वर्षों तक मुझे पता नहीं था
मैं किससे लड़ रही थी
कौन था जो आखेट के लिए बुलाता था मुझे
कौन थे वे पशु जिनका अन्त करने हर रात मैं निकलती थी
जिनकी आँखें अंधकार में हरी रोशनी-सी चमकती थीं
जो मुझे ऐसे देखती थीं
जैसे उन्हें मेरा ही इंतज़ार हो

कई बार मुझे ऐसा लगता
वे मेरी ही आँखें थीं
जो मुझ तक हरे रंग में रँग कर आतीं
मुझमें लग जाने के लिए
अपनी आँखें मैं टटोलती तब
वहाँ रोशनी की जगह अन्धकार होता

एक अन्धापन
और मैं चीखने लगती
जाने किससे कहती हटाओ यह पर्दा
अन्धकार और प्रकाश के बीच जो पड़ा है
इस रात को हटाओ
जो धँसी है मेरी देह में
इन पशुओं को काबू में लाओ
मुझे घेर कर जो खड़े हैं
कोई फिर कहता...
यह सब स्वप्न है यथार्थ नहीं

यहाँ कोई पर्दा नहीं
नहीं कोई क्षमा
यहाँ जीवन और मृत्यु एक समान हैं
ईश्वर और मनुष्य एक दूसरे का हिस्सा
यहाँ प्रेम और संभोग की
कोई पवित्रता या अपवित्रता नहीं
यहाँ आनन्द निर्बाध है और दुख स्वच्छन्द
आँखों की यहाँ ज़रूरत नहीं
न किसी रोशनी की
यहाँ सबकुछ दिखता है बिना आँखों के
अन्धकार ही ब्रह्म है यहाँ
स्वप्न ही जीवन चलचित्र समान
वही है आख़िरी पर्दा इसे हटाने को मत कहो
इसके बाद का इलाका पूर्णतया अज्ञात है
अपरिचित इतना कि किसी को कुछ नहीं पता
मृत्यु को भी नहीं –

कोई नहीं जानता वहाँ क्या है जीवन या सिर्फ़ हवा
या महज़ कुछ और विस्तार

मैं फिर भी कहती—
मुझे देखना है इस आख़िरी पर्दे के पीछे का रहस्य
क्या स्वप्न का भी होता है कोई मुखौटा
उसका चेहरा भी वही तो नहीं
जिसे वह छिपाए हुए है
किसी कुष्ठग्रस्त राजा के दर्प सा

कभी-कभी यूँ ही चीख़ती परेशान
अँधेरे जंगलों में चली जाती
देखती अपने ही पूर्वजों को
निरपेक्ष अपनी बेचैनियों से
अब भी उनके सरोकार होते उनके खेत आम के बाग
हाथी घोड़े हीरे माणिक मोती
अब भी बटोरते दिखते वे शक्ति अपार
युद्ध और शान्ति के फ़ैसले करते
गिनते मृत योद्धाओं के अनगिनत शव
मुझे पहचनवाया जाता
ये फलां राय हैं वे फलां राजा
ये तुम्हारे ये लगते हैं वे, वे
कितनी ही आदतें जो मुझमें हैं बची
होतीं उनमें से किसी की
मेरी आँखें मेरा रंग मिलता उनमें से किसी से
बनी रहती फिर भी दूरी
लौट सकने में जिससे आसानी होती

कोई वैसे रोकता नहीं मुझे न कुछ कहता
बस एक हल्की-सी हँसी ज़रूर दिखती
किसी के चेहरे पर एक आश्वस्ति ठहरी-सी
भटकती ही सही मैं उन्हें मिली तो
लौटने पर फीकी-फीकी-सी अनुभूति ही
मेरे भीतर बची मिलती
कुछ भी ऐसा नहीं कि उनके बीच फिर लौटूँ

एक बार मिली मुझे एक सुन्दर स्त्री
जिसकी आँखों के नीचे था जमा-सा अँधेरा
जो मुझसे लिपट लिपट कहती वह मेरी है
बहुत अपनी
जिसके ऐसा कहने में थी एक परिचित पीड़ा
लगता जिससे वह जो कुछ भी चाहती है कहना
वह सत्य होगा
वह बस एक ही बात कहती
"ले चलो सपनों के रास्ते ही है सम्भव अब मेरा लौटना
ले चलो मुझे अपने घर
वह है मेरा भी घर जो तुम्हारा
जहाँ से मुझे निर्वासित किया गया
मैं थी उस घर की बाल विधवा बहू
जिसके साथ प्रेम और अभिसार का
क्रूरतम खेल खेला गया
मैं एक बच्ची ही थी नासमझ
मुझे एक रात नष्ट किया गया
मेरे बच्चे की हत्या की गई
और छोड़ दिया गया मुझे किसी जंगल में

जिसमें तुम आज तक भटकती हो
शायद मुझे खोजती
और जहाँ के ख़ूंखार जानवर भी
अभिशप्त हैं दया करने के लिए मुझ पर

मैं मरी नहीं, बची हुई हूँ अब तक
घुमड़ती एक आवाज़ की तरह
जिसे तुम्हीं अकेली सुनती हो
मैं भटकती रही जंगलों जंगलों
खेतों से होती हुयी
पार करती अनगिनत आम और जामुन के बाग
मैं कई शहरों तक गई
नहीं बता पाया कोई मुझे मेरे घर का रास्ता

मैं अब भी पालना चाहती हूँ अपने बच्चे को
हासिल कर सके ताकि वह अपना संसार
समझ सके कस्तूरी की गंध
कितनी जोखिमभरी होती है खुद हिरण के लिए"

अक्सर मैं इसी सपने का पीछा करती
ताकि मिलूँ अपनी उस पूर्वज से दोबारा
जानूँ उसके भटकाव और दुख के दूसरे करुण प्रसंग
महसूस करूँ वहाँ व्याप्त उन पशुओं की साँस की गन्ध
जिससे नृशंसता की बू आती थी
जिनकी आँखों की हरी रोशनी
शायद मुझे डराने के लिए थी

लेकिन नहीं लौट पाती उस सपने में आसानी से
बदले में दिखता कोई और चरित्र
नृत्य करता हुआ जो आता मुझ तक
और डाल देता मेरे गले में एक हार
मुझे यह अभद्रता लगती
मैं निकाल फेंकती उसका यह बन्धन
और वह रोता हुआ मिट्टी में धँसता चला जाता
मैं चिल्लाती पूरी रात प्रयत्न करती उसे बचाने का
रोती हुई फिर बाहर आती इस हादसे से किसी तरह
पाश्चाताप के पाताल में डूबी
कौन था वह कौन था कहती हुई
तभी दिखता हिरणों का एक झुण्ड स्वच्छन्द कुलाँचें भरता
मैं भूल जाती सबकुछ सारी हताशा पश्चाताप सारा
हो जाती उन्हीं के पीछे-पीछे होने शामिल उन्हीं के उल्लास में
तभी दिखता झाड़ी में तीर साधे कोई खड़ा
फिर अनन्त स्वप्न भर मैं उससे विनती करती
मत करो नष्ट इस सौन्दर्य को
इस स्वच्छन्दता को बाधित मत करो
वह तीर नीचे रखता मुझे घसीटता हुआ ले जाता एक तरफ
और आश्चर्य कि वह होता कितना अपना
मैं सोचती क्यों बना यह शिकारी बहेलिया
फिर सशंकित हो उठती
शायद यह है कोई और
जीवन से अधिक मृत्यु चाहनेवाला

तभी अचानक जैसे वह बदल जाता किसी और व्यक्ति में
जाने क्यों परिचित लगता है वह

लम्बी काया पतली ऊँची नाक
गोरा सुन्दर चेहरा
सोचने लगी ऐसे व्यक्ति से कैसी अपेक्षा करूँ
कुछ अच्छा या फिर वही चिरपरिचित बुरा
तभी वह मेरी तरफ मुड़ता
एक विचित्र भाव चेहरे पर उसके
डराती-सी आवाज़ में पूछता
कैसी है उसकी प्रिया वन वन जो भटकती है
अचानक मुझमें एक रोष पैदा होता
तो आख़िर तुम हो वह काम रूप
वास्तव में कुरूप नृशंस कायर क्रूर
स्त्री की मृत्यु चाहने वाले
तुम... जिसे कभी प्रेम नहीं मिलना चाहिए था
जिसे भटकना चाहिए जन्मों-जन्मों अकेला
भूखा-प्यासा...
तुम...तुम...तुम... कहती हुई जैसे मैं नींद में लौटती
पीछे छोड़ती हुई सपने को
अपनी ही चीख़ से जागती आखिर
भरी एक अफसोस से क्यों नहीं हिंसक हुई मैं
क्यों उसे और अपमानित नहीं किया
और अधिक अपमानित
मैं मिली ही क्यों उससे
कि तभी मुझे लगता शायद
वह खुद ही मिलना चाहता था मुझसे
तभी तो चीर कर अन्धकार के कितने मैदान
वह आया मेरी नींद तक
शायद वह सचमुच जानना चाहता था

अपनी आत्मा के उस अंश के बारे में
जिसमें पीड़ा ही पीड़ा थी
थे जिस पर घाव ही घाव
मगर उसके चेहरे पर तो दिखती नहीं कोई ग्लानि
अभी भी वह उसे बलात ही पाना चाहता था

मैंने अपने हाथों से अपने चेहरे को ढँका
अपनी बेचैनी कम करने के लिए शायद
और लगा जैसे मेरा चेहरा मेरा नहीं
वहाँ महसूस नहीं हुई अपनी ही आत्मीयता
मुझमें खुद से ही जैसे एक अलगाव पैदा हो गया था
मेरा अपना ही कुछ गैर हो गया था
हिंसा पर उतारू अपने ही ख़िलाफ़

अगली रातों में क्या कुछ घटित होगा
सोचकर मैं आशंकित थी
कुछ मौतें कोई युद्ध लम्बा जैसे छिड़ सकता था
और फिर मैं कितनी कितनी रातों
कई नींदों तक उसमें शामिल रहूँगी
युद्ध करती ढूँढती कितनी ही हरी रोशनियों को
बनाती उन्हें अपनी आँखों का प्रकाश

वैसे मैंने खुद को भी मरते हुए देखा है कई बार
कोई तीर मुझे ही भेद जाता है
और मैं नहीं देख पाती उसे
जो भेदता है मुझे
उसे देखने के लिए मैं लौटती हूँ

कितनी ही बार इस स्वप्न में
जानती हुई कुछ-कुछ वह कौन है
जानती हुई उसे मैं खोज लूँगी सपने के बाहर भी
कठोर रोशनियों के मैदानों में घोड़े पर सवार
वह मुझे धोखा न दे सकेगा
उसके पास बची हैं अनगिनत तितलियाँ मेरी
उसके भीतर अब भी उड़ती हुई

कितनी ही रातों का रहस्य इस तरह मैं जानती गयी
जिनसे यह जीवन सपनों की तरह खुलता गया
इस दौरान मैंने सीख लिया था आखेट में जीतना
पहचान लिया था हरी रोशनी वाली चमकती आँखों को
मृत अपनी देह से अलग कर लिया था खुद को
मुझे भी आ गया था तीर चलाना
मैं आ-जा सकती थी सपनों के बाहर-भीतर
अन्धकार को समझ चुकी थी मैं
उसकी मुक्ति में ही अब मेरा विहार था
मैं जान रही थी अब
आखेट के लिए बुलाता है अगर कोई मुझे नहीं है भागना
शामिल होना है इस खेल में
आखेटक से डरना नहीं
यदि बचे रहना है

मुझे मालूम है अब खूब
रात और स्वप्न के मैदान में
तीर और चाँद मुझे देखा करेंगे
और मैं रहूँगी हिरणों के झुण्ड में शामिल

उनकी छलाँगों के मुक्ति विलास में
लाँघती-फाँदती जंगल के जंगल

अब न तीर चल सकेंगे
न रात होगी और गहरी
एक दूधिया रोशनी में स्वप्न चलता रहेगा
भले चाँद देखता रहे मुझे एकटक
करता रहे अपनी कामना से मेरा शिकार
मैं उससे कहूँगी जैसे मैं कहूँगी हर आखेटक से
या फिर उस स्त्री से जो भटकती है
किन्हीं बियाबानों जंगलों में अब तक
मैं स्वयं काम हूँ स्वयं रति
अनश्वर स्त्री
संभव नहीं, नहीं, मृत्यु मेरी।

जैसे मॉनसून की पहली हवा चली हो

जैसे मॉनसून की पहली हवा चली हो
पथरीले तपते मैदानों चट्टानों को सहलाती
हवा वाले बारिशों की शुरुआत के पहले दिन
जैसे शीतल सुख में तेज़ तेज़ नाचती है पृथ्वी
वैसे ही हो हमारा जीवन
इतनी ही इच्छा उतनी ही नम ऊष्मा हो
जिज्ञासा उतनी ही जानने की ख़ुद को
लिये आता है मौसम जितना वनस्पतियों तक

हलचल हो भीतर खनिजों में मेरे भी
पिघले जो दरकने के बावजूद पड़ा रहता है निश्चल
उगे मेरी आत्मा में अबाध मुक्ति
भीतर के हलचल से भर जाए बाहर का वातावरण
टूट जाएँ वे ख़तरनाक पुल सहिष्णुता के
जिनसे चलकर आती रही है अब तक
दासता की मूक स्वीकृति

पथरीले तपते मैदानों

चट्टानों को सहलाती
हवा वाले बारिशों की शुरुआत के पहले दिन
जैसे उल्लास में दौड़ती हैं पृथ्वीबद्ध हवाएँ
वैसे ही हो वेगमय हमारा जीवन

कोहरा, नदी और नाव

पहले एक नदी थी जहाँ अभी कोहरा था
अनगिनत अश्रुबूँदों की तरह ठहरा हुआ
एक नाव जहाँ अब भी हिल रही थी अपनी ही परछाईं-सी
एक बड़ी चिड़िया जिस पर बैठी थी काठ जैसी
एक आदमी जहाँ अपना सामान बाँधे खड़ा था
कहीं जाने के लिए
एक औरत के रोने की हल्की-हल्की आवाज़
हवा में अब भी बची थी

तभी अचानक कोई तेज़ हवा आयी
चली गयी पोंछती हुई पूरे दृश्य को
आत्मा की अमर छाया-सी हिलती हुई नाव भी नहीं बची

वर्षों फिर कोई हवा इधर नहीं आयी
कोई कहीं जाने के लिए नहीं आया
किसी औरत के रोने की आवाज़ नहीं उभरी कहीं से
बस सूखी हुई घास इधर आयी हरियाली की खोज में
उसे मैंने अपने मन में बिछा लिया सोचकर

एक दिन आएगी नदी भी इधर
खोजती हुई पानी
कोहरे में जिसके हिलती हुई एक नाव होगी
लादकर अपना सामान तब
मैं भी निकलूँगी एक यात्रा पर
जिसमें सिर्फ़ हवा मेरे साथ होगी

जो नारसिसस के साथ डूब गया

एक उजाड़ है अब वह जगह
जहाँ पहले एक झील थी
जहाँ से नारसिसस के पैरों की आवाज़ अब भी आती है

वह वहीं गयी है
खोजने फूलों भौंरों तितलियों को
बेशुमार दूसरे जीवों को
पानी को हरियाली को

वह जाएगी मृत्यु तक लाने वापस
वह सब कुछ जो नारसिसस के साथ डूब गया था
लाएगी किसी तरह उस सौन्दर्य को
जो दोबारा ध्वस्त न होगा